JE DÉCOUVRE . . .
LE MONDE MERVEILLEUX
DES ANIMAUX

LES CHEVAUX
SAUVAGES

Martin Harbury

Grolier Limitée
MONTRÉAL

CHEF DE LA PUBLICATION		Joseph R. DeVarennes
DIRECTEUR DE LA PUBLICATION		Kenneth H. Pearson
CONSEILLERS	Roger Aubin Gilles Bertrand	Jean-Pierre Durocher Gaston Lavoie
RÉDACTRICES EN CHEF		Anne Minguet-Patocka Valerie Wyatt
CONSEILLERS POUR LA SÉRIE		Michael Singleton Merebeth Switzer
RÉDACTION	Sophie Arthaud Charles Asselin Marie-Renée Cornu Michel Edery	Catherine Gautry Ysolde Nott Geoffroy Menet Mo Meziti
SERVICE ADMINISTRATIF	Kathy Kishimoto Monique Lemonnier	Alia Smyth William Waddell
COORDINATRICE DU SERVICE DE RÉDACTION		Jocelyn Smyth
CHEF DE LA PRODUCTION		Ernest Homewood
RECHERCHE PHOTOGRAPHIQUE		Don Markle Bill Ivy
ARTISTES	Marianne Collins Pat Ivy	Greg Ruhl Mary Théberge

Ouvrage pour la jeunesse recommandé par le Cercle des Jeunes Naturalistes du Québec.

Données de catalogage avant publication (Canada)

Harbury, Martin, 1945—
    Les chevaux sauvages / Martin Harbury. Le caribou / Judy Ross. —

(Je découvre—le monde merveilleux des animaux)
Traduction de: Wild horses. Caribou.
Comprend des index.
ISBN 0-7172-1995-X (chevaux sauvages). — ISBN 0-7172-1994-1 (caribou).

1. Chevaux sauvages—Ouvrages pour la jeunesse. 2. Caribou—Ouvrages pour la jeunesse.
I. Ross, Judy, 1942- Le caribou. II. Titre. III. Titre: Le caribou. IV. Collection.

QL737.U62H3714 1986   j599.72′5   C85-090786-1

Dépôt légal, 1er trimestre 1986
Bibliothèque nationale du Québec

Savez-vous . . .

Quand vous pensez à un cheval, quelle image vous vient à l'esprit? Pensez-vous à:

- de beaux chevaux de course aux pattes élancées?
- de puissants chevaux de trait ou de labour?
- des chevaux de police bien dressés?
- de gentils poneys de selle?
- des mulets et des ânes entêtés?

Ou peut-être pensez-vous aux chevaux sauvages?

Les chevaux sont des animaux fascinants. Ils ont inspiré les écrivains et les cinéastes. Vous avez peut-être lu *Le cheval blanc qui voulait devenir noir* ou *Le poney rouge,* et vous avez peut-être vu le célèbre feuilleton *Prince noir.*

Dans beaucoup de régions d'Amérique du Nord, il y a des troupeaux de chevaux sauvages, parfois appelés mustangs. Avec un peu de chance, vous en verrez peut-être un jour. Si cela vous arrive, vous n'aurez probablement pas l'occasion de vous en approcher car ce sont des animaux très timides qui fuient les humains.

Page ci-contre:

En liberté sur son territoire.

L'historique de la famille

Si les chevaux sauvages organisaient une réunion de famille, ce serait un spectacle bien étrange. On y verrait tous leurs proches cousins: les zèbres, les mulets, les ânes, et bien sûr tous les chevaux de selle, de course et de trait. Mais il y aurait d'autres invités . . . le rhinocéros et le tapir, par exemple, car ce sont, croyez-le ou non, de lointains cousins du cheval sauvage.

Les chevaux existaient déjà du temps des dinosaures. L'un de leurs plus lointains ancêtres, l'éohippus, ne ressemblait guère aux chevaux sauvages d'aujourd'hui. Il était tout petit - de la taille d'un renard environ - ce qui était très pratique, car il pouvait échapper aux énormes dinosaures en se faufilant sous le couvert des buissons. Autre différence: au lieu de se terminer par un sabot, ses pieds comptaient plusieurs orteils et avaient le dessous garni d'un coussinet.

Il y a bien longtemps de cela, tous les chevaux vivaient à l'état sauvage. Mais peu à peu, les gens les capturèrent et les domestiquèrent. De nos jours, très peu de chevaux vivent en liberté.

Les chevaux d'Amérique du Nord

L'histoire des chevaux en Amérique du Nord est vraiment passionnante. Il y a des dizaines de milliers d'années, les chevaux vivaient à l'état sauvage dans la plupart des régions de ce continent. Mais il y a 8 000 à 10 000 ans, tous disparurent. Jusqu'à l'arrivée des conquistadors qui amenèrent leurs montures, il y a environ quatre siècles, il n'y eut plus aucun cheval.

Les Européens qui suivirent vinrent eux aussi avec des chevaux et bientôt les Indiens commencèrent à se servir de cet animal. Beaucoup de chevaux s'échappèrent vers les prairies dont le climat et la végétation leur convenaient bien. Le mot mustang vient de l'espagnol et signifie égaré ou sauvage. Très vite, il y eut des milliers de mustangs en liberté, qui ressemblaient de plus en plus à leurs ancêtres sauvages.

Page ci-contre:

Tous les chevaux de l'Amérique du Nord, dont le poney Assoteague, descendent de chevaux marrons. Le terme «marrons» désigne des chevaux échappés, retournés à la liberté. Le seul vrai cheval sauvage est le Prjewalski, qui habitait autrefois les régions voisines de la frontière entre la Chine et la Mongolie. Cette race est aujourd'hui disparue en habitat naturel, mais on en trouve quelques représentants dans les jardins zoologiques et les réserves, un peu partout dans le monde.

9

Où vivent les chevaux sauvages

La majorité des troupeaux de mustangs vivent dans les régions désertiques du Nevada. Ce n'est pas que les chevaux sauvages aiment le désert, mais nos villes et nos fermes ne leur donnent guère le choix d'un habitat. Heureusement, les chevaux sauvages s'adaptent bien à leur milieu. Ils parviennent à survivre en se nourrissant d'armoises et de plantes désertiques et à apaiser leur soif aux rares points d'eau et sources.

D'autres troupeaux habitent les montagnes Pryor du Montana et du Wyoming. Dans les gorges, les forêts et les prairies de ces merveilleuses montagnes, les chevaux sauvages trouvent tout ce dont ils aiment se nourrir.

Les chevaux des montagnes Pryor sont très timides, mais ils sont aussi d'une grande curiosité. Si vous vouliez vous approcher furtivement, ils s'enfuiraient rapidement à votre approche. Mais quelques instants après, vous auriez peut-être l'impression qu'on vous épie. Souvent, poussés par la curiosité, les mustangs reviennent sans bruit sur leurs pas pour contempler à leur tour leur observateur.

À l'île de Sable

L'île de Sable est une grande île sablonneuse de l'océan Atlantique qui s'étend au large de la province canadienne de la Nouvelle-Écosse. L'endroit ne semble guère propice à la vie et on ne s'attend généralement à y trouver que des mouettes, des poissons et des dunes. Pourtant, on y trouve beaucoup de choses inattendues.

Les phoques gris y viennent à l'époque de la reproduction et les bruants d'Ipswich, sous-espèce des bruants des prés, quittent leur chaude Géorgie pour venir y nicher. Des centaines d'épaves bordent le rivage. Quelques personnes, qui veillent à la bonne marche des phares et de la station météorologique, y habitent. Mais les occupants les plus étranges de l'île, ce sont ses quelque 300 chevaux sauvages!

Les petits chevaux râblés peuplent l'île depuis plusieurs centaines d'années. On ignore comment ils y sont arrivés, mais certains présument que les premiers furent des chevaux qui survécurent à un naufrage non loin de la côte.

Page ci-contre:
Les chevaux de l'île de Sable sont petits, mais vigoureux et robustes.

Tempêtes d'hiver, soleil d'été

La vie n'est pas facile pour les chevaux sauvages de l'île de Sable, surtout en hiver quand de violentes tempêtes surviennent avec leurs tourmentes de neige et de glace. Alors, les petits chevaux sauvages se blottissent les uns contre les autres à l'abri des dunes. En hiver, pour se protéger du froid, ils ont un manteau plus long et plus fourni. Ils doivent parfois fendre la glace avec leurs sabots pour boire, ou fouiller la neige et le sable pour dénicher quelques pousses cachées.

Mais en été, quand le soleil darde ses chauds rayons sur l'île, les chevaux sauvages perdent leur épaisse toison d'hiver. La nourriture abonde. Partout, l'herbe pousse et les mares se remplissent d'eau. Les chevaux sauvages passent alors leur temps à brouter l'herbe tendre et à caracoler librement sur les belles plages de l'île.

En attendant que passe la tempête.

Des petits cousins

Si les chevaux sauvages sont plus petits que la plupart de leurs cousins domestiques, c'est parce que les plantes dont ils se nourrissent dans la nature sont moins nutritives que les aliments spéciaux et le foin qu'on donne aux chevaux domestiques. Quand on attrape un jeune cheval sauvage, appelé poulain, et qu'on lui donne des aliments pour chevaux domestiques, il grandit au moins d'une main de plus que ses parents. On appelle main l'unité utilisée pour mesurer les chevaux. Cette unité correspond à la largeur moyenne de la main d'un homme adulte, soit environ 10 centimètres.

La différence de taille entre les chevaux sauvages et leur cousins domestiques vient surtout de la longueur de leurs pattes de devant. Les chevaux sauvages ont de petites pattes, ce qui est une bonne chose pour eux car plus les os sont courts, plus ils sont résistants.

La plupart des chevaux sauvages mesurent 12 à 14 mains au garrot, soit 122 à 142 centimètres. Mais les chevaux de l'île de Sable sont considérablement plus petits.

Page ci-contre:
Quel drôle de petit poulain!

Les couleurs du pelage

Les chevaux sauvages sont de couleurs très différentes; certains sont noirs, d'autres bruns ou blancs, d'autres encore ont des couleurs intermédiaires.

Durant toutes les années où ils vécurent à l'état sauvage, leur pelage prit des variations spéciales: ils ont une raie noire sur le dos, de la crinière à la queue, et le poil plus sombre au bas des pattes. Parfois, comme leur cousin le zèbre, la partie supérieure de leurs pattes est rayée d'étroites bandes foncées appelées zébrures. Ces marques les aident à se confondre au paysage et à se dissimuler ainsi aux regards de leurs ennemis et des humains. C'est leur tenue de camouflage.

Autrefois, les différentes tribus indiennes avaient des préférences quant aux marques de couleurs de leurs chevaux. Ainsi, les Cheyennes aimaient tout particulièrement les chevaux de Medicine Hat, au pelage blanc orné de taches sombres sur la tête et le poitrail. Les Cheyennes croyaient que ces taches, qui ressemblaient un peu à un casque de guerre et à un bouclier, protégeaient le cavalier et sa monture.

Page ci-contre:
Les marques noires sur les pattes de ce poulain ressemblent un peu à des chaussettes.

Les poils protecteurs

Dans les régions où le climat est froid, le pelage des chevaux s'épaissit beaucoup à l'automne. Au printemps, ce poil d'hiver tombe. Mais les crins du cou et de la queue ne tombent jamais.

Au printemps et en été, quand une multitude d'insectes les tourmentent, les chevaux se servent de leur queue comme d'un tue-mouches. Si cela est insuffisant, ils font tressaillir des muscles sous-cutanés pour se débarrasser de leurs attaquants.

La toilette

Les chevaux aiment beaucoup faire leur toilette et ils ont mille et un moyens ingénieux de se nettoyer et de se gratter. Ils aiment surtout se rouler sur le dos, dans l'herbe, dans l'eau, dans la poussière ou même dans la boue! Quand ils trouvent un endroit où il fait vraiment bon se frotter le dos, ils le partagent avec d'autres.

Les chevaux aiment aussi se frotter la tête et le cou aux barrières, aux rochers et aux arbres. Parfois, ils se grattent avec leurs sabots ou se mordillent avec leurs dents de devant bien tranchantes.

Gratte-moi le dos . . .

De temps en temps, deux chevaux s'aident à nettoyer des parties de leur corps qu'eux-mêmes ne peuvent pas atteindre. De ses dents, chacun mordille la crinière et le cou, puis les flancs et le dos de l'autre. Chacun lèche et mordille les touffes de poils emmêlés et les peaux mortes qui les démangent. D'habitude, ils commencent face à face puis se glissent progressivement côte à côte. Quand on voit deux chevaux faire ainsi leur toilette, on peut être certain qu'ils sont bons amis.

«Un peu plus à gauche, s'il-te-plaît! »

La vie de famille

À l'état sauvage, les chevaux vivent en bandes ou troupeaux. Chaque troupeau est mené par un mâle puissant, ou étalon. Le reste du troupeau se compose de femelles, ou juments, et de leurs petits. Le groupe des femelles est appelé harem.

Au sein du troupeau, il règne une hiérarchie bien établie. L'étalon est le chef. Ensuite vient sa jument. Quand le troupeau se déplace, c'est elle qui en prend la tête. Les autres juments la suivent bien en ordre, les jeunes fermant la marche.

Chacun connaît sa place et prend soin de ne pas se laisser dépasser par un membre du troupeau de rang inférieur. Si l'un commence à rompre l'ordre, les autres le menacent d'un mouvement de la tête et du cou, ou couchent les oreilles en arrière sur la tête pour l'avertir de reprendre sa place. Il arrive qu'un cheval trop effronté ignore ces avertissements et se fasse mordre. Si une morsure ne suffit pas, une ruade puissante assagira sûrement l'impertinent!

Page ci-contre:
En bande.

Toujours sur ses gardes

Les yeux d'un cheval sont extraordinaires. Ils sont très grands et leur pupille peut s'ouvrir largement pour laisser entrer la moindre lumière. Les chevaux voient donc aussi bien de nuit que de jour.

Nos yeux sont à l'avant de notre tête. Le cheval, lui, les a sur les côtés. Il peut donc voir non seulement devant lui, mais aussi à sa gauche et à sa droite et même en arrière, sans bouger la tête.

Il existe une autre différence entre nos yeux et ceux du cheval. Chez le cheval, les deux yeux n'ont pas forcément à bouger dans la même direction: chaque œil peut remuer indépendamment de l'autre. Avec des yeux comme cela, vous pourriez regarder la télévision tout en jetant un coup d'œil par la fenêtre de l'autre côté de la pièce! Alors, ne vous y trompez pas. Un cheval peut fort bien paraître absorbé par son déjeuner, mais il surveillera en même temps ses voisins ou les alentours, attentif au moindre danger.

Page ci-contre:
Bien qu'il ait très soif, ce cheval lèvera régulièrement la tête pour voir s'il n'y a aucun danger.

À l'affût du danger

Les chevaux ont non seulement une excellente vue mais aussi une très bonne ouïe. Leurs oreilles pointues peuvent se mouvoir dans pratiquement n'importe quel sens pour mieux capter les sons. Quand deux chevaux ne peuvent pas se voir, ils hennissent parfois pour se signaler leur présence.

Les chevaux ont aussi un odorat très fin. Ils peuvent sentir des odeurs imperceptibles pour nous. Si vous observez un cheval, vous verrez qu'il est sans arrêt attentif aux odeurs qui lui parviennent.

Avec des sens aussi développés et un instinct aussi grégaire, il n'est pas étonnant que les chevaux sauvages soient aussi difficiles à approcher. Dès que l'étalon voit quelque chose d'anormal, entend un bruit suspect ou sent une odeur bizarre, il rassemble tout le troupeau en un groupe serré et l'envoie se mettre à l'abri au grand galop. L'étalon ferme la marche, dressant ainsi un barrage entre le troupeau et le danger qui menace.

Ainsi parlent les chevaux

Comme beaucoup d'animaux, les chevaux communiquent entre eux en poussant des cris particuliers. Ils hennissent pour se parler. D'habitude, un hennissement veut simplement dire: «Je suis là.» Parfois, il signale un danger.

Mais les chevaux n'ont pas toujours besoin de «mots»; ils peuvent aussi envoyer des messages à l'aide de leurs oreilles. Quand un cheval rabat les oreilles en arrière, cela signifie généralement: «Arrête de m'ennuyer. Je vais me mettre en colère.» S'il dresse brusquement les oreilles en avant, c'est qu'il est surpris ou effrayé.

Les chevaux aiment paître deux par deux ou en petits groupes.

L'heure du repas

De l'herbe verte et tendre, voilà la nourriture préférée de tous les chevaux. Mais dans certaines régions, les chevaux sauvages doivent se contenter d'autres végétaux. Parfois, ils mangent des feuilles de houx ou de jeunes rameaux. Il leur arrive aussi de fouiller la terre de leurs sabots pour y trouver des racines. À l'île de Sable, les chevaux sauvages mangent quelquefois les algues séchées qui jonchent la plage en hiver.

Les chevaux coupent les plantes à ras avec leurs longues dents tranchantes, puis les broient avec leurs dents arrière plates, appelées molaires, pour en faire une sorte de bouillie. Contrairement à la vache et aux autres herbivores, le cheval a un estomac et un système digestif délicats. Il a besoin de mastiquer longuement sa nourriture avant de l'avaler. Comme les chevaux mangent jusqu'à 15 kilogrammes d'herbe par jour, ils passent parfois la moitié de leur journée à mâcher!

Au menu: des algues.

Des chaussures de course

Si vous passiez beaucoup de temps à courir sur un sol dur, il vous faudrait de robustes chaussures de course pour vous protéger les pieds. Les chevaux, eux, ont en quelque sorte une paire de chaussures spéciales, appelées sabots.

Chose surprenante, les chevaux marchent sur la pointe des pieds et leurs sabots sont en fait des ongles particulièrement bien développés. En plusieurs milliers d'années, le pied du cheval a beaucoup changé par rapport à celui de l'éohippus, qui avait plusieurs orteils. Petit à petit, les chevaux se mirent à marcher sur un seul long orteil, dont l'ongle devint plus gros et plus enveloppant, puis se transforma en sabot.

Les chevaux de selle et de trait ont besoin de fers, car leurs sabots s'abîmeraient à cause du poids qu'ils portent ou qu'ils tirent. Mais les chevaux sauvages n'en ont pas besoin. Leurs «chaussures de course» leur suffisent.

«Essaie toujours de m'attraper!»

Au verso:
En toute liberté.

Comme le vent

En cas de danger, la première réaction d'un cheval est toujours de partir au galop. Les chevaux aiment galoper et ils sont faits pour le galop. Ils ont des sabots pour protéger leurs pieds et de longues pattes puissamment musclées. Ils sont dotés de grands naseaux évasés, qui peuvent laisser entrer beaucoup d'air, et d'immenses poumons. Tout cela fait du cheval l'un des meilleurs et des plus rapides coureurs du monde animal.

Les pur-sang, que l'on voit aux champs de course, sont les plus rapides de tous les chevaux. Sélectionnés pour leur aptitude à la course, ils ont les pattes encore plus longues que les autres chevaux. Sur une distance de quelques kilomètres, un pur-sang peut distancer n'importe quel cheval.

Mais sur une distance plus longue, un cheval sauvage les distancerait tous. Il peut courir pendant des heures sur des terrains si accidentés que les autres chevaux glisseraient, tomberaient ou s'arrêteraient tout simplement.

Un combat d'étalons

Chaque printemps, les étalons et leurs juments s'accouplent. Quand une jument est prête à s'accoupler, tous les étalons du voisinage le savent car elle dégage une odeur particulière. Très souvent, plusieurs étalons veulent s'accoupler avec une même jument; l'étalon du troupeau doit alors les chasser.

Généralement, une lutte entre deux étalons semble beaucoup plus féroce qu'elle ne l'est en réalité. Les deux opposants caracolent l'un vers l'autre: le cou cambré, ils secouent leur longue crinière de gauche à droite, et ils piaffent.

Souvent, l'intrus recule rien que devant le regard menaçant, les oreilles rabattues, les renâclements et les ébrouements du chef du troupeau. Toutefois, s'il refuse de prendre la fuite, le combat commence. Les deux chevaux se cabrent; ils frappent leur adversaire de leurs pattes antérieures; ils essaient de se renverser et de se mordre à l'encolure. Parfois, si la lutte se fait réellement violente, ils se retournent soudain sur leurs pattes antérieures et ruent de toute la force de leurs puissantes pattes postérieures.

D'habitude, toutefois, l'un des deux capitule rapidement. Dès que l'un se sent en position d'infériorité, il fait demi-tour et s'enfuit. Le vainqueur caracole alors fièrement vers son harem et s'accouple avec sa jument.

Environ 11 mois après l'accouplement, la jument donne naissance à un poulain. La naissance a presque toujours lieu au printemps, généralement de nuit: l'obscurité cache le nouveau-né des regards des prédateurs.

Un petit poulain

Le plus souvent, un étalon sauvage essaie de garder les juments de son harem toutes ensemble, près de lui, pour mieux les protéger. Mais au printemps, quand une jument s'apprête à donner naissance, l'étalon la laisse quitter le groupe pour qu'elle puisse trouver un coin tranquille et abrité, pas trop éloigné.

À sa naissance, le poulain est tout petit, tout tremblant, tout délicat. Dès qu'il est né, sa mère commence à le lécher et à le pousser tendrement du bout du museau pour l'encourager à se dresser sur ses pattes effilées et fragiles. Normalement, dans l'heure qui suit sa venue au monde, le poulain parvient à se tenir debout, bien que ses pattes fléchissent encore d'un aussi dur effort.

D'habitude, une jument donne naissance à un seul poulain à la fois.

Un accueil chaleureux

Tout d'abord, le petit se serre contre sa mère
pour trouver auprès d'elle chaleur et réconfort.
Mais quelques heures après sa naissance, une
fois qu'il a pris sa première tétée, il se sent
plus fort et plus confiant. Il est alors prêt à
rejoindre le reste du troupeau. Les adultes le
considèrent avec curiosité. Ils le lèchent et
le sentent pour lui souhaiter la bienvenue.

Et voilà le petit poulain qui cabriole, bondit
et rue, prêt à suivre le reste du troupeau. S'il y
a d'autres poulains parmi le groupe, c'est encore
mieux. Ils vont se poursuivre et s'amuser jusqu'à
n'en plus pouvoir d'épuisement ou de faim; alors
ils retourneront boire une grande gorgée de
lait chez leur mère.

Les poulains prennent vite des forces. Ils
commencent à brouter de l'herbe, mais
continuent de téter leur mère. Bientôt, les
jeux tournent à la lutte chez les jeunes qui
s'entraînent progressivement à leurs futurs
combats d'étalons.

Livrés à eux-mêmes

Lorsqu'ils ont environ trois ans, les chevaux sauvages commencent à se mesurer à leur père. Au bout de quelque temps, ennuyé et agacé, le père chasse sa progéniture. Le jeune cheval devra donc désormais se débrouiller tout seul.

Quand ils veulent conquérir une jument, très peu de jeunes étalons sont suffisamment forts et malins pour gagner un combat contre un congénère. Ils rejoignent donc un troupeau de célibataires et sous la direction du cheval le plus robuste, ils passent leur temps à faire semblant de se battre, à attaquer d'autres troupeaux pour « kidnapper » une jument et à acquérir les aptitudes nécessaires pour élever une famille.

Au même âge, les jeunes pouliches sont aussi chassées par leur père. Elles trouvent rapidement des prétendants: un étalon qui a déjà une famille ou peut-être le jeune chef d'un groupe de célibataires. Celui qui remporte la victoire sur les autres va chercher la pouliche et tous les deux partent au galop vers de nouveaux pâturages pour fonder une famille.

Glossaire

Accoupler(s'): S'unir pour avoir des petits.

Camouflage: Couleurs ou marques qui aident un animal à se confondre au paysage.

Cheval marron: Cheval échappé, retourné à l'état sauvage. Les chevaux sauvages qui vivent en Amérique du Nord descendent de chevaux marrons.

Équidés: Famille de mammifères ongulés représentée aujourd'hui par le cheval, l'âne, le zèbre.

Étalon: Cheval mâle capable de reproduction.

Grégaire: Se dit des animaux qui vivent en groupes.

Harem: Juments d'un même troupeau.

Herbivore: Animal qui se nourrit exclusivement de végétaux.

Jument: Femelle du cheval.

Livrée: Pelage d'un animal.

Molaires: Dents plates situées au fond de la gueule du cheval, qui servent à broyer la nourriture.

Mustangs: Chevaux sauvages, et plus particulièrement ceux qui vivent dans les déserts et dans les montagnes de l'Ouest.

Sabot: Excroissance dure, semblable à un ongle, qui protège le pied du cheval.

Sous-cutané: Situé sous la peau.

Troupeau: Groupe de chevaux sauvages, composé d'un étalon, d'un harem de juments et de jeunes.

INDEX

Couverture: Zoe Lucas
Crédit des photographies: Ron Watts (First Light Associated Photographers), pages 4, 11, 19, 23, 25, 43, 44; Jamie Cruikshank (Miller Services), 7; Michel Bourque (Valan Photos), 8, 31; Wambolt/Waterfield (Miller Services), 12; Zoe Lucas, 15, 27, 28, 33, 34, 36-37, 41; United States Fish and Wildlife Service, 16; K. Straiton (Miller Services), 20.

Imprimé en Espagne

JE DÉCOUVRE . . .
LE MONDE MERVEILLEUX
DES ANIMAUX

LE CARIBOU

Judy Ross

Grolier Limitée
MONTRÉAL

CHEF DE LA PUBLICATION		Joseph R. DeVarennes
DIRECTEUR DE LA PUBLICATION		Kenneth H. Pearson
CONSEILLERS	Roger Aubin Gilles Bertrand	Jean-Pierre Durocher Gaston Lavoie
RÉDACTRICES EN CHEF		Anne Minguet-Patocka Valerie Wyatt
CONSEILLERS POUR LA SÉRIE		Michael Singleton Merebeth Switzer
RÉDACTION	Sophie Arthaud Charles Asselin Marie-Renée Cornu Michel Edery	Catherine Gautry Ysolde Nott Geoffroy Menet Mo Meziti
SERVICE ADMINISTRATIF	Kathy Kishimoto Monique Lemonnier	Alia Smyth William Waddell
COORDINATRICE DU SERVICE DE RÉDACTION		Jocelyn Smyth
CHEF DE LA PRODUCTION		Ernest Homewood
RECHERCHE PHOTOGRAPHIQUE		Don Markle Bill Ivy
ARTISTES	Marianne Collins Pat Ivy	Greg Ruhl Mary Théberge

Ouvrage pour la jeunesse recommandé par le Cercle des Jeunes Naturalistes du Québec.

Données de catalogage avant publication (Canada)

Harbury, Martin, 1945—
  Les chevaux sauvages / Martin Harbury. Le caribou / Judy Ross.—

(Je découvre—le monde merveilleux des animaux)
Traduction de: Wild horses. Caribou.
Comprend des index.
ISBN 0-7172-1995-X (chevaux sauvages). — ISBN 0-7172-1994-1 (caribou).

1. Chevaux sauvages—Ouvrages pour la jeunesse. 2. Caribou—Ouvrages pour la jeunesse.
I. Ross, Judy, 1942- Le caribou. II. Titre. III. Titre: Le caribou. IV. Collection.

QL737.U62H3714 1986   j599.72'5   C85-090786-1

Dépôt légal, 1er trimestre 1986
Bibliothèque nationale du Québec

Savez-vous . . .

Vous pensez peut-être que les caribous ressemblent beaucoup aux rennes. Et vous avez raison. Les caribous, ou rennes du Canada, sont les cousins des rennes qui vivent en Russie, en Norvège, en Suède et en Finlande. Dans ces pays, les rennes sont des animaux domestiques qui souvent tirent les traîneaux.

On pourrait aisément croire qu'un caribou est un très grand cerf. La confusion est compréhensible, car tous deux font partie de la famille des Cervidés. Un bébé caribou ressemble énormément à un bébé cerf, sauf qu'il n'a pas de taches blanches.

Les bois du caribou de la toundra sont plus grands que ceux de son cousin, le caribou des bois.

Le bébé caribou

Ce bébé caribou a déjà passé les moments les plus périlleux de sa jeune vie, qui sont les premières heures après sa naissance. Comme les caribous vivent en hardes, les nouveau-nés doivent pouvoir suivre le groupe. S'ils n'arrivent pas à tenir l'allure, ils se retrouvent isolés et peuvent alors facilement succomber aux attaques d'un loup. C'est pourquoi la mère caribou lèche son petit dès qu'il est né, le pousse du museau pour l'encourager à se dresser au plus vite sur ses pattes chancelantes.

À peine une heure après sa naissance, ce petit caribou se tenait déjà debout. En moins de deux heures, il était assez vigoureux pour parcourir plusieurs kilomètres. Les bébés caribous sont non seulement forts mais aussi rapides. À un jour, un petit caribou arrive à courir aussi vite qu'un homme!

Les cousins

Le caribou fait partie d'une très grande famille, celle des Cervidés. Parmi ses cousins qui vivent dans les mêmes régions que lui, il y a le cerf de Virginie, le cerf-mulet, le wapiti et l'orignal. Tous sont apparentés et présentent des caractéristiques communes.

Ils ont des sabots fendus et sont dépourvus de dents à l'avant de la mâchoire supérieure. De plus, ce sont des ruminants: ils avalent tout rond leur nourriture et l'emmagasine dans une poche spéciale de leur estomac, puis la font remonter dans leur bouche quand ils sont prêts à la mâcher.

Mais leur particularité commune la plus évidente est que tous ont des bois. Chez tous les caribous mâles, les bois tombent chaque année, puis repoussent. Contrairement à beaucoup de leurs cousines de la famille des Cervidés, les caribous femelles portent aussi généralement des bois.

Durant leur période de croissance, les bois du caribou sont recouverts d'une peau velue appelée velours.

Au pays du caribou

Il y a deux espèces de caribous en Amérique du Nord: le caribou des bois, qui vit dans les forêts et les montagnes, et le caribou de la toundra, qui habite dans les steppes glacées du Grand Nord.

Le caribou des bois peuple des régions moins septentrionales que son cousin de la toundra.

On rencontre le caribou de la toundra dans des régions où l'hiver est rigoureux et long. Souvent, le froid dure pendant neuf mois; le sol est couvert de neige, les rivières et les lacs sont pris par les glaces.

Région où l'on rencontre des caribous en Amérique du Nord.

Un manteau bien chaud

Le caribou a des moyens astucieux de se tenir au chaud en hiver. Il a un manteau spécial à double épaisseur qui retient la chaleur de son corps, tout en empêchant le froid et l'humidité de pénétrer. La toison extérieure se compose de longs poils creux qui renferment de l'air et jouent un rôle d'isolant. Aplatis contre le corps, ces poils protègent l'animal de la pluie et de la neige. Au-dessous se trouve une bourre de poils crépus qui emprisonnent l'air chaud dégagé par le corps de l'animal.

Vous savez qu'en hiver, on attrape vite froid au bout du nez. Le caribou n'a pas ce problème car son museau est complètement recouvert de poils. Toutes les parties de son corps sont protégées par des poils, même ses oreilles et sa queue qui sont toutes petites par rapport à sa taille, ceci afin de mieux restreindre les pertes de chaleur.

Le caribou a un pelage plus long et plus fourni que celui des autres Cervidés.

Manteau d'hiver et manteau d'été

Vous ne portez pas de manteau en été, n'est-ce pas? Bien sûr que non, car vous auriez trop chaud.

Le caribou non plus. Son épaisse toison hivernale tombe au début de l'été par grosses touffes de poils. Durant la mue, le caribou n'a pas très belle allure car son manteau est tout effiloché. Mais il n'a jamais la peau complètement à nu. Un nouveau pelage, plus léger, pousse à mesure que tombe son manteau d'hiver.

Le caribou des bois et le caribou de la toundra ont tous deux un pelage surtout brun, avec des taches blanches aux pattes, au ventre, au cou et à la queue. La fourrure du caribou des bois est généralement brun foncé, tandis que celle du caribou de la toundra est de couleur plus claire, presque noisette.

On reconnaît les vieux mâles, comme celui au centre de cette photo, à leurs crinières blanches.

De splendides sabots

Les pieds du caribou sont parfaitement adaptés aux terrains recouverts de neige épaisse. Les deux parties de ses sabots fourchus s'écartent pour mieux distribuer son poids sur le sol, lui offrant ainsi un appui solide—un peu comme s'il marchait sur des raquettes.

La glace non plus ne pose pas de problème au caribou. En hiver, la partie cornée du pourtour du sabot se renforce. Le caribou peut alors s'agripper au sol verglacé comme s'il avait des crampons. En même temps, le coussinet placé au milieu du dessous du sabot rétrécit et durcit. Les morceaux de glace ou de neige l'entament donc moins facilement. Et des poils poussent entre les doigts, formant une chaude couverture pour le coussinet.

En été, ce coussinet redevient souple et s'étend davantage, ce qui permet au caribou de se camper solidement sur ses pieds quand il traverse des terrains marécageux.

Sabots de caribou

Été

Hiver

Le pied d'un caribou n'a rien de délicat!

Gros plan

Comparé à son énorme cousin l'orignal, le caribou semble petit. Pourtant, chez le caribou des bois, le mâle pèse en moyenne 225 kilogrammes. La femelle est bien plus petite.

Le caribou de la toundra est beaucoup plus petit que le caribou des bois. Le mâle pèse en moyenne 110 kilogrammes, soit deux fois moins que son cousin.

Toutefois, la taille et le poids d'un caribou dépendent de son habitat. Dans les régions où la nourriture abonde, les caribous sont gros; dans celles où elle est rare, les caribous sont plus petits. Comme il est plus difficile de trouver de quoi se nourrir dans les steppes glacées du Nord, il n'est pas surprenant que le caribou de la toundra soit généralement plus petit.

Se gratter les bois n'est pas tâche aisée!

Un superbe panache

Aimeriez-vous porter sur votre tête à longueur de journée deux grosses branches d'arbres? Non, direz-vous car ce serait lourd et encombrant. Le caribou n'y voit aucun inconvénient car il a l'habitude de vivre avec un fardeau sur la tête. Chez les mâles, les bois, volumineux et épais, peuvent atteindre un mètre de long et peser plusieurs kilogrammes.

Beaucoup de femelles ont des bois, mais ils sont beaucoup plus petits et atteignent leur taille maximale quand l'animal a deux ou trois ans. Chez le mâle, les bois ne s'arrêtent de pousser que lorsqu'il a entre six et neuf ans.

Il n'y a pas deux caribous qui aient exactement les mêmes bois. Toutefois, les bois sont toujours composés des trois mêmes parties. Les deux merrains de la ramure poussent vers l'arrière. Un andouiller double, plus petit, pousse au-dessous, vers l'avant. Enfin, une autre ramification en forme de pelle se courbe vers le bas, vers le museau du caribou.

Généralement, la ramification en forme de pelle est simple, mais il arrive qu'elle soit double. On croyait autrefois que le caribou se servait de cette "pelle" pour fouiller la neige en hiver, à la recherche de nourriture. On sait aujourd'hui qu'il n'en est rien. Le caribou se sert de ses sabots pour creuser la neige.

Chaque année, les bois du caribou tombent et repoussent. Les mâles et les femelles ne perdent pas leurs bois à la même époque de l'année. Les mâles commencent à s'en défaire au début de novembre, bien que les plus jeunes gardent parfois les leurs jusqu'au mois de janvier. Les femelles les conservent jusqu'au printemps.

Les nouveaux bois des mâles commencent à pousser en mars. Au début, ce ne sont que de petites bosses duveteuses. Durant leur croissance, les bois sont couverts d'une peau velue et douce appelée velours. Cette peau veloutée est parcourue de multiples vaisseaux sanguins qui apportent aux tissus les substances nutritives nécessaires. Au milieu de l'été, les bois cessent de grandir et le velours commence à tomber. Les caribous frottent alors leur ramure aux arbres et aux buissons pour se débarrasser plus vite du velours.

Les bois du caribou.

Femelle

Mâle

La vie en groupe

Vous ne rencontrerez presque jamais un caribou seul. Les caribous sont des animaux à l'instinct grégaire qui vivent en petits groupes ou en grandes hardes, selon l'époque de l'année et selon l'espèce à laquelle ils appartiennent.

Une harde de caribous des bois compte moins d'une cinquantaine de bêtes. La composition des groupes change durant l'année; il arrive que les mâles d'un même âge vivent d'un côté et les femelles d'un autre. Généralement, ce n'est qu'à la saison des amours que les femelles et les mâles se retrouvent.

Les caribous de la toundra forment des grandes hardes de plusieurs milliers d'animaux.

De grands voyageurs

Certains animaux ont un ou plusieurs territoires où ils passent la plus grande partie de leur vie. Mais pas le caribou. Grand voyageur, il se déplace tout au long de l'année. En été, les caribous vont de pâturage en pâturage, à la recherche de nourriture. À l'automne, ils se mettent en route pour des régions densément boisées où ils seront plus à l'abri du froid et de la neige. Au printemps, ils partent vers des aires de mise bas, où naîtront les petits.

Généralement, le caribou des bois voyage beaucoup moins que son cousin de la toundra. Certes, il s'enfonce souvent davantage dans les forêts ou dans les vallées quand vient l'automne. Mais contrairement à son cousin du Nord, il n'effectue pas de longs périples.

Les caribous de la toundra parcourent jusqu'à 1300 kilomètres entre leur territoire de gagnage et leur territoire de mise bas. Ils suivent tous les ans le même itinéraire pour se rendre de l'un à l'autre.

Page ci-contre:

En courant aussi vite que possible, vous pourriez suivre un caribou qui va tranquillement au pas. Mais vous ne tarderiez pas à perdre le souffle.

Une mer d'animaux

Les personnes qui ont eu l'occasion de voir migrer une immense harde de caribous de la toundra disent que le spectacle est inoubliable. Apparemment, on a l'impression de voir déferler une mer d'animaux.

Quand les caribous marchent ou courent, le frottement de leurs pattes produisent un étrange bruit sec. À celui-ci s'ajoute le claquement des bois qui s'entrechoquent. Parfois on perçoit tous ces bruits de très loin. Et s'il y a de jeunes bêtes dans la harde, leurs cris perçants amplifient tout ce vacarme.

Quelquefois, les caribous suivent à la queue-leu-leu le chef de la harde le long d'un étroit sentier. Certaines hardes sont si grandes qu'il faut des jours pour que tous les caribous défilent.

Suivons le chef.

À la course et à la nage

Les caribous vont généralement d'un pas assez tranquille. Mais s'ils sentent un danger, ils se mettent à galoper et peuvent atteindre une vitesse de 65 kilomètres à l'heure. Même lorsqu'ils marchent sans se presser, ils vont relativement vite.

Durant leurs migrations, les caribous ont souvent à traverser de grands lacs et de larges rivières. Mais comme ce sont d'excellents nageurs, cela ne leur pose pas de difficultés. Leurs larges sabots leur servent de pagaies et les longs poils remplis d'air de leur toison extérieure les aident à flotter.

Durant leurs migrations annuelles, les caribous traversent souvent des lacs et des rivières.

Un animal plein de curiosité

On dit souvent que les chats sont des animaux curieux, mais saviez-vous que les caribous le sont aussi? Ils semblent incapables de résister à un spectacle inhabituel, tel celui d'un homme en train d'agiter les bras. Certes, s'ils sentent un danger, ils détalent à toute allure. Mais une fois en sécurité, ils se retournent et regardent. Il leur arrive même de revenir sur leurs pas pour voir de plus près ce qui les a étonnés.

Quand leur curiosité n'est pas pleinement satisfaite, ils contournent ce qui a retenu leur attention, pour remonter du côté sous le vent. S'ils agissent ainsi c'est parce que leur odorat très fin les renseigne sur ce qui se passe autour d'eux.

«Qui êtes-vous?»

Les repas

Les caribous paissent en marchant; ils broutent des feuilles de saules, de tendres bourgeons d'arbustes et des herbes. Mais ils se nourrissent surtout de lichens, plantes basses et sèches qui s'accrochent aux rochers et aux arbres. Un caribou de la toundra mange en moyenne quatre à cinq kilogrammes de lichens par jour. Comme friandises, les caribous aiment les champignons.

En hiver, quand la neige recouvre le sol, les caribous mangent des rameaux de saules et de bouleaux ou fouillent la neige de leurs sabots pour y trouver des morceaux de plantes gelées. Grâce à leur odorat très développé, ils arrivent à dénicher des lichens et des prèles séchés enfouis sous la neige.

En hiver, les caribous grignotent même quelquefois le logis d'un rat musqué. Comme le nid est fait d'herbes et de plantes séchées, les caribous trouvent qu'il a bon goût. Mais imaginez un peu la surprise du propriétaire à son retour!

Page ci-contre:
Après avoir bien brouté, le caribou cherche un endroit tranquille pour ruminer.

Broutons maintenant, nous mastiquerons...plus tard

Le caribou ne peut mordre ni les feuilles ni les lichens car il n'a pas de dents sur le devant de la mâchoire supérieure. Par contre, il les arrache en les serrant contre son palais rugueux. À l'arrière de sa bouche, il a des dents larges et plates appelées molaires, qui lui servent à broyer les plantes dures.

Le caribou ne mastique pas ses aliments au moment où il les broute. Il avale tout rond les lichens, les feuilles et les bourgeons et les emmagasine dans une poche spéciale de son estomac. Quand il est rassasié, il cherche un endroit confortable, où il s'allonge. Puis il régurgite ses aliments et les broie en une sorte de purée. C'est pourquoi on dit que le caribou est un ruminant, comme tous les Cervidés.

Attention, danger!

Le grizzli, le lynx et le carcajou attaquent le caribou, mais son principal ennemi est le loup. Il arrive souvent qu'une meute de loups suive une harde de caribous. Les loups s'attaquent généralement aux bêtes les plus jeunes ou les plus âgées et aux bêtes maladives. Ils attrapent rarement un caribou adulte en bonne santé. On dit que les loups ont un effet salutaire: comme ils tuent les plus faibles, le reste de la harde a plus de nourriture pour survivre.

Quand un caribou sent un danger, il lève bien haut la tête, pointe ses oreilles vers l'avant, lève la queue et tend une patte sur le côté. Cette étrange posture signale aux autres qu'il faut faire attention: « Le danger est proche. » Si le caribou qui a donné l'alarme se met brusquement à courir, tous les autres suivent l'exemple, qu'ils aient vu l'ennemi ou non.

Parfois, quand il a peur, un caribou se cabre sur ses pattes arrière comme un cheval. Chacun de ses sabots fourchus s'écarte sur le sol et y laisse une odeur spéciale. Les autres caribous savent que cette odeur veut dire: « Attention, danger! »

Page ci-contre:
Un caribou renifle souvent l'air pour sentir s'il n'y a pas d'odeur étrange qui trahisse la présence d'un ennemi.

Ah! Les pestes!

Si les loups représentent le plus grand danger pour les caribous, les mouches et les moustiques sont leur plus grande source de tourments. En été, les terrains où vivent les caribous de la toundra sont marécageux. Leurs nombreux cours d'eau et étangs sont infestés de mouches noires et de moustiques.

Malheureusement, la toison d'été du caribou est trop légère pour le protéger de leurs piqûres et sa queue n'est pas assez longue pour servir de tue-mouches. Tout ce que peut faire le caribou, c'est renâcler bruyamment pour manifester son irritation et courir pour essayer de distancer les insectes. Il arrive que des caribous courent ainsi jusqu'à la limite de l'épuisement.

Au plus fort de la saison, quand des myriades d'insectes les attaquent, les caribous vont souvent chercher refuge dans un endroit plus venteux sur une colline ou sur une montagne, où il y a moins d'insectes. Parfois, n'y tenant plus, ils plongent dans les cours d'eau glacés.

En fuite.

La saison des amours

Chez les caribous, la saison des amours a lieu en octobre et au début de novembre.

Le caribou des bois rassemble un harem d'une dizaine de femelles ou plus. Durant toute la saison des amours, il essaie de les garder près de lui et s'attaque à tout autre mâle qui veut s'en approcher.

Contrairement à son cousin des bois, le mâle de la toundra n'a pas de harem. Il s'accouple au hasard avec plusieurs femelles de la harde.

La saison des amours est une période d'intenses activités pour les mâles des deux espèces. Ils se battent avec les autres mâles en bramant bruyamment; parfois même, ils cognent rageusement leurs bois contre les broussailles. Avant la saison des amours, les mâles sont gras et ont belle allure, mais bien vite ils maigrissent car ils ne prennent pas beaucoup le temps de manger. Quand vient l'hiver, ils paraissent souvent fatigués et leur pelage est terne.

Corps à corps.

Les naissances au printemps

Après un long et rude hiver, le printemps est le bienvenu au pays des caribous. Les jours allongent, deviennent plus chauds et les femelles s'apprêtent à mettre bas.

La plupart des caribous possèdent un territoire spécial où les femelles se rendent pour avoir leurs petits. Si la future mère voyage avec la harde, elle se laisse tout simplement distancer par les autres quand elle est prête à mettre bas.

Les petits naissent de la mi-mai au début juin. En général, une femelle a un seul petit, mais il arrive qu'elle ait des jumeaux ou même des triplés. Les petits ont de longues pattes et un manteau roux. Ils pèsent de 4 à 6 kilogrammes environ, soit à peu près autant qu'un chien de taille moyenne.

La mère est très protectrice. Elle lèche son petit, le nettoie et lui donne constamment de tendres coups de museau. Dès qu'il est reposé, les coups de museau de sa mère se font plus insistants, car elle veut qu'il se lève et commence à marcher.

Page ci-contre:
Le petit caribou est perché sur d'immenses pattes fines.

Un joli petit

Tout d'abord, le bébé caribou paraît chancelant sur ses pattes, mais bien vite il se dresse avec plus d'aplomb. Très rapidement, il peut marcher à l'allure de sa mère, de son troupeau ou de sa harde. Il peut même nager!

Comme tous les jeunes animaux, les petits caribous aiment partir à l'aventure et rencontrer d'autres jeunes. Parfois, l'un d'eux s'éloigne trop et se perd. Sa mère part alors à sa recherche. Parmi tout un groupe de petits caribous qui se ressemblent, elle reconnaît le sien à son odeur.

Les bébés caribous grandissent si vite qu'ils doublent leur poids de naissance en dix jours. Au bout de deux semaines, ils commencent à brouter un peu de verdure mais ils continuent de téter durant au moins un mois. Si le temps est particulièrement mauvais, leur mère les allaite plus longtemps.

Les bois des jeunes caribous commencent à pousser au cours du premier automne de leur vie.

Reprenons la route

Les femelles qui ont des petits du même âge se rassemblent souvent. De cette manière, elles peuvent décider de l'allure que leurs petits pourront suivre sans trop de mal.

À l'automne, les petits sont âgés de cinq mois environ et leurs bois commencent à pousser. Bientôt viendra pour leur mère le moment de s'accoupler à nouveau. Et bientôt le troupeau partira vers des régions plus abritées pour y passer l'hiver.

Le petit restera probablement avec sa mère pendant tout l'hiver. Mais à la naissance des nouveau-nés au printemps, il partira avec des jeunes de son âge.

Peu de caribous vivent plus de quatre ou cinq ans à l'état sauvage. Courte vie, certes, mais bien remplie. Durant ce temps, un caribou a plusieurs petits et parcourt des milliers de kilomètres.

Glossaire

Accoupler(s') S'unir pour avoir des petits.

Andouiller Ramification des bois du caribou.

Bol alimentaire Aliments rapidement avalés et régurgités pour être mâchés par les ruminants comme la vache et le caribou.

Gagnage Pâturage où les caribous vont prendre leur nourriture.

Grégaire Qui n'aime pas vivre seul.

Harem Groupe de femelles qu'un mâle rassemble à la saison des amours.

Lichen Plante dépourvue de fleurs, qui ressemble à une mousse et qui pousse sur les rochers et sur les arbres.

Mettre bas Donner naissance à des petits (chez un animal).

Merrain Tige centrale des bois du caribou.

Migrer Se déplacer régulièrement à la recherche de nourriture ou d'un terrain de mise bas.

Muer Perdre sa fourrure, qui est remplacée par une nouvelle, généralement à un changement de saison.

Poils protecteurs Poils longs et rudes qui forment la toison extérieure du caribou.

Sabot Pied du caribou, du cerf, de la vache, du cheval et d'autres animaux.

Septentrional Situé au nord.

Téter Boire le lait de sa mère.

Toundra Vaste étendue plate et sans arbres de l'Arctique.

Velours Peau douce et velue qui recouvre les bois d'un caribou durant leur croissance.

INDEX

Couverture: Brian Milne (First Light Associated Photographers)
Crédit des photographies: Stephen J. Krasemann (Valan Photos), pages 4, 8, 11, 15, 19, 22, 25, 30, 34, 37, 38; Fred Bruemmer, 7; J.D. Taylor (Miller Services), 13, 33, 41; J.D. Markou (Miller Services), 16; Mike Beedele (Miller Services), 26; Patrick Morrow (First Light Associated Photographers), 29; Wayne Lankinen (Valan Photos), 42, 45.

Imprimé en Espagne